Un pirate à l'école

Youpi, je lis !

MES PETITS ROMANS À LIRE COMME UN GRAND

Cette histoire a été écrite pour être accessible dès la fin du CP et le début du CE1 :

- le **texte est court**,
- il est divisé en **chapitres** qui rythment la lecture,
- il a été **testé par un orthophoniste** pour éviter les difficultés de lecture,
- les mots difficiles sont **expliqués en bas de page.**

Cette histoire a aussi été écrite pour **passionner, émouvoir, faire rire** et **rêver** son lecteur, parce que **quand on aime lire, c'est pour toute la vie !**

Ce roman a été publié dans le magazine

Quatrième édition

ISBN : 9782-7470-8242-6
Dépôt légal : août 2017
Loi n° 49-956 du 16 juillet 1949 sur les publications destinées à la jeunesse.

Achevé d'imprimer en 2020
par Pollina – 85400 LUÇON
Imprimé en France - 94638

Un pirate à l'école

écrit par Christine Palluy

illustré par Yves Calarnou

bayard jeunesse

Chapitre 1
Le nouveau maître

Aujourd'hui, c'est la rentrée. Dans la cour, il ne reste plus que les élèves de CE1. La directrice leur dit :

– Installez-vous sagement en classe. Votre nouveau maître va arriver.

Les CE1 montent dans leur classe. Maintenant, ils attendent. Ils attendent longtemps. C'est difficile d'être sage quand le maître n'est pas là ! Samir cherche la bagarre avec Louis. Soudain une grosse voix résonne dans le couloir :

– Sacrebleu de corne bidouille ! Faites silence, gamins !

Tous foncent sur leurs chaises. Un drôle de bruit se rapproche :

– Chlaac, toc. Chlaac, toc. Chlaac, toc.

Nina dit tout bas à Léo :

– Qu'est-ce que c'est ?

– On dirait quelqu'un qui marche avec...

Léo n'a pas le temps de terminer sa phrase.

Le maître entre dans la classe. Il a une béquille et une jambe de bois. Il porte un grand chapeau, une veste trouée avec de gros boutons dorés. Un bandeau noir cache son œil.

Le maître va à son bureau en disant :

– Eh bien, les matelots, que regardez-vous ? Est-ce Alfred, mon fidèle perroquet ? Vous ne l'aurez pas ! Trouvez-vous un autre rôti pour le dîner !

Le maître s'installe à son bureau. À voix basse, Marilou demande à Nina :

– Tu crois que c'est un maître pirate ?

– Sûr ! répond Nina. Regarde, il est comme un pirate. Il a plein de bijoux, même sur les dents !

C’est vrai. Maintenant, il sourit. Il a deux dents en or qui brillent dans sa bouche.

– Je m’appelle Œil de Baleine. Au boulot, les matelots ! On va voir si vous connaissez votre travail.

Chapitre 2

Les bons moussaillons

Œil de Baleine pointe sa béquille vers Léo :

– Toi, le gamin en rouge, donne-moi un nom de vent marin !

Léo hésite. Il ne sait pas. Le perroquet vient se poser sur l'épaule de Léo. Il dit :

– Vent... d'Ouest, Coco.

Léo dit:

– Heu... Le vent d'Ouest.

– Bien, moussaillon ! Tu as gagné une bouteille de rhum*.

Puis il se tourne vers Pauline :

– Toi, la princesse, là-bas au fond ! dis-moi un autre nom de vent.

*C'est de l'alcool, et ça se prononce « rome ».

Pauline se retourne, mais il n'y a personne derrière. C'est bien elle que le maître interroge.

– Alors ? s'énerve Œil de Baleine.

Ouf ! Alfred le perroquet vole au secours de Pauline :

– Ali...zé, Coco.

– Heu... Alizé ! répète Pauline.

– Vous êtes savants, moussaillons ! Je peux vous faire confiance. Savez-vous déjà lire ?

Les enfants se regardent, étonnés. Ils répondent tous ensemble :

– Bien sûr ! On est au CE1 !

Œil de Baleine reprend d'une grosse voix :

– Et alors ? Moi, j'ai quarante ans et je ne sais pas lire !

Il ajoute en relevant le menton :

– Mais ne vous en faites pas, je sais compter !

Soudain, l’œil du maître s’illumine :

– Gamins ! Je veux apprendre à lire !

Marilou s’exclame tout bas :

– Ça alors ! Un maître qui ne sait pas lire !

Léo va au tableau.

– D’abord, il faut savoir lire son nom. Voilà un B et un A. B et A lus ensemble, ça fait « ba ».

Samir ajoute :

– Et après, c’est un L. Ba plus L, ça fait…

– « Bal », s’applique Œil de Baleine.

– Bravo ! dit la classe.

Œil de Baleine se lève. Chlaac… toc. Chlaac… toc. Il rugit :

– Matelots, je n’ai plus le temps. J’apprendrai la suite plus tard. Mais, diable, que je suis fort ! Déjà, je sais presque lire mon nom ! On va fêter ça avec du rhum !

Il ouvre la porte et crie dans le couloir :
– Aubergiste, on a soif ! Apporte-nous ta meilleure bouteille !

Chapitre 3

Le vrai maître

Pendant qu'Œil de Baleine revient à son bureau, Marilou ose demander :

– C'est bien vous, le maître ?

Œil de Baleine répond fièrement :

– Bravo, Princesse, je suis le vrai maître des océans ! Tu es maligne, je vois.

Œil de Baleine plonge sa main dans la poche de sa veste. Il sort un rouleau de vieux papier jauni. Les enfants n'en croient pas leurs yeux.

– Une carte au trésor !

– Bien vu, moussaillons.

Œil de Baleine déplie la carte :

– Mais il y a trop d'écritures sur ce plan. Je vous propose un échange. Lisez et dites-moi où se trouve le trésor. Moi, j'irai le chercher.

– Est-ce que vous reviendrez dans notre classe, après ? demande Marilou.

– Pour sûr ! Si je trouve le trésor, vous aurez votre part. Juré, craché, sur la tête de mon perroquet.

Les enfants déchiffrent vite la carte. Elle indique que le trésor se trouve au fond d'une grotte, sur une île lointaine, au-delà des océans.

Mais la cloche sonne. Œil de Baleine lève sa béquille au ciel :

– C'est la corne de brume* ! Matelots, tous sur le pont du bateau !

*C'est la sirène d'alarme des bateaux.

Les enfants se lèvent pour aller en récré. À ce moment-là : BOUM ! BOUM !

– Sacrebleu ! J'entends les canons de mon navire. L'équipage m'appelle. Gamins, je pars. Je reviendrai au printemps.

Et il disparaît dans le couloir.

À la fin de la récré, les enfants rentrent en classe. Un homme arrive, essoufflé :

– Bonjour, je suis Monsieur Ploc, votre nouveau maître. J'étais bloqué sur le port. Il y avait foule car un vrai bateau de pirates est arrivé ! C'est incroyable, non ?

Dans la classe, on entend de petits rires.

Nina lève le doigt et demande :

– Un vrai bateau de pirates, maître, un vrai de vrai ?

– Oui, mais ne vous affolez pas, je l'ai vu repartir ! Les pirates attendaient leur chef. Comment s'appelait-il, déjà ? Œil…

Alors, sous le bureau du maître, une drôle de voix répond :

– Œil de Baleine, Coco.

Youpi, je lis !

Découvre tous les autres titres de la collection !